KB096275

66

첫눈은 모두에게 다르게 찾아옵니다

첫눈은 모두에게 다르게 찾아옵니다

발행	2023년 12월 13일
저자	찬들
펴낸이	한건희
펴낸곳	주식회사 부크크
출판사등록	2014. 07. 15(제2014-16호)
주소	서울특별시 금천구 가산디지털1로 119 A동 305호
전화	1670-8316
E-mail	info@bookk.co.kr
ISBN	979-11-410-5958-3

www.bookk.co.kr

ⓒ 찬들, 2023
본 책은 저작자의 지적 재산으로서 무단 전재와 복제를 금합니다.

"

첫눈은 모두에게
다르게 찾아옵니다

찬들 지음

BOOKK✎

가끔은 첫눈이 얄미울 때가 있습니다.

정말 보고 싶을 때는 내려주지 않았던 첫눈이 그리 반갑지 않을 때는 기다렸다는 듯 첫눈이 내릴 때가 있습니다. 보고 싶을 때는 쉽게 볼 수 없고 보고 싶지 않을 때는 그냥 보이는 것이 첫눈이라 느껴 『첫눈은 모두에게 다르게 찾아옵니다』라는 책을 쓰게 되었습니다. 항상 다르게 찾아오는 첫눈을 맞이할 때 항상 같은 감정일 수는 없겠지만 사계절을 잘 버틴 당신에게는 첫눈은 고생했다는 의미에 뿌듯한 첫눈을 바라보았으면 좋겠습니다. 쌀쌀한 겨울이 조금은 힘든 당신, 따뜻한 겨울을 보내기를 바라면서 모두에게 힘이 되는 메시지를 전합니다.

2023년 12월

안종찬

차례

part 1 사랑이 첫눈처럼 다가왔다

part 3 첫눈 같은 첫 삶

part 1

사랑이 첫눈처럼 다가왔다

사랑이 첫눈처럼 다가왔다

누군가에게는 사랑이
첫눈처럼 다가왔을 것이고

누군가에게는 사랑이
끝눈처럼 다가왔을 것이다.

첫눈도 끝눈도
나에게 다가왔다는 거에
의미를 두고 살아갔으면 좋겠다.

첫사랑, 짝꿍

학창 시절 그럴 때가 있어요.
책상에 선을 그어 놓고는
넘어오면 다 내 것이라고 했던 날.

그런데 내가 기다렸던 건
지우개도 연필도 아닌
당신의 손을 기다리고 있었어요.

단단해지기

연애는 허리와 같아요.
허리를 잡아줄 수 있는 근육이 없다면
견디기 힘든 아픔만 찾아올 거예요.

연애도 마찬가지예요.
잡아줄 수 있는 근육이 있어야 해요.

잡아 줄 수 있는 단단함만 있다면
견디기 힘든 아픔이 찾아올지라도
꿋꿋이 견뎌낼 수 있을 거라고 믿어요.

무궁화꽃이 피었다

설렘은
꼭 무궁화꽃이 피었습니다.
같아요.

뒤돌아 있을 때는 내 마음대로
움직일 수 있었는데

마주 보고 있을 때는
약속이나 한 듯 굳어버려요.

꽃말은 상관없어요

굳이 기념일이어야만 하나요?
오늘은 그냥 주고 싶은 날이에요.

꽃말 따위는 신경 쓰지 않았어요.
꽃을 주는 순간
내 속삭임이 더 의미 있었으니까.

설레는 대화

외모에 설레는 사람보다는
대화에 설레는 사람을 만나보세요.

설레는 외모는
설레는 대화를
이기지 못합니다.

내 편을 찾기

결혼은 진짜 사랑을
찾는 것보다,

진짜 내 편을
찾는 게 맞는가 보다.

기적

정말 말도 안 되는 기적들도
우리는 시간이 지나면
잊고 살 때가 있어요.

정말 말도 안 되는
기적 중 하나는
내가 이 세상에 존재하는 것도 있겠지만,

이 세상에 존재하는 사람들과
서로 같이 사랑을 할 수 있다는 것.

이것만 한 기적도 없을 거예요.

여자의 눈빛

남자는 관심 있는 여자에게
돈과 시간을 아끼지 않았다면

여자는 관심 있는 남자에게
반짝이는 그 눈빛만큼은
아끼지 않았을 거예요.

당신이 좋은 이유

여행이 좋은 점은
새로운 세상을
알 수 있어서 좋았고,

당신이 좋은 점은
새로운 나를 알게 되어서 좋았다.

두 번째 인상

첫인상의 느낌도 중요했지만,
두 번째 느낌도 중요했어요.

두 번째 느꼈던 감정이
진짜라고 믿고 싶거든요.

마음의 문

당신의 표현은
서툴렀던 게 아니라,
서둘렀던 거였어요.

조금은 서두르지 말고,
기다려 주세요.

마음의 문을 열 때까지.

예쁜 눈길

당신과 함께라면
아무리 예쁜 하얀 눈길도
쳐다볼 수가 없어요.

하얀 눈길보다
더 예쁜 당신에게
눈길이 더 가니까요.

빼빼로 데이

빼빼로를 몰래
사물함에 넣어주려고
학교에 일찍 갈 때가 있었어요.

그때 느꼈어요.
사랑은 부지런함이라는걸.

만나고 싶은 사람

받침 하나만 달라져도
사람이 달라 보여요.

나 뭐 달라진 건 없냐고
하는 사람.

나 뭐 달라질 거 없냐고
하는 사람.

부끄러움

그럴 때가 있어요.
내가 좋아하는 사람이
나에게 이상형을 물어봤을 때.

괜히 좋아하는걸.

눈치채지 못하게
범위 넓은 이상형을 말했을 때가 있었어요.

마음 울리기

사람의 마음을
울리고 싶다면

수많은 언어 속에서
그가 경험한 것들로
공감할 수 있게
달콤하게 속삭여 주세요.

가장 중요한 것은
달콤보다는,
공감이라는 두 글자입니다.

인생은 짧다

인생의 3분의 1은 잠을 잔다면
꿈나라로 가는 그 1도,
당신이 나왔으면 좋겠습니다.

3분의 2만 당신을 보기에는
인생은 너무나 짧습니다.

한 편의 영화

글과 멜로디가 만나면
아름다운 음악이
탄생하는 것처럼.

당신과 내가 만났을 때는
한편의 아름다운
로맨스 영화로 남고 싶습니다.

사랑, 제철

겨울에는 사과와 귤에
계절이 찾아옵니다.

과일에도
다 제철이 있는 것처럼.

사랑에도
다 제철이 있습니다.

꿈꾸는 결혼

누구에게나
꿈꾸는 결혼은 있습니다.

그 꿈은 딱 적당한 시기에
괜찮은 사람을 만나
괜찮은 조건을 가지는 사람과
진짜 사랑을 할 수 있는 것.

이것보다 더 꿈꿀 수 있는 게 있을까.

닮아 가고 싶다

사랑하면 서로 닮아간대요.
웃음이 많지 않았던 나를
웃게 해줬고,

눈물이 많지 않았던 나를
울게도 해줬고,

미운 단점까지도 닮아가
나를 보는 것만 같아
미워할 수 없게 되었어요.

앞으로도 계속 닮아가고 싶어요.
나를 알면
너를 알 수 있게.

사랑, 핸드폰

당신의 사랑 표현이
너무나 컸다면
잠시만 접어주세요.
폴더폰처럼.

밀었다면
다시 제자리로
당겨주세요.
슬라이드 폰처럼.

당 떨어질 때

당 떨어질 때는
달콤한 초콜릿도 좋겠지만,

달콤한 사랑의
표현도 같이해 주세요.

초콜릿이 생각나지 않게.

흔들림

어떻게 흔들리는 꽃들 속에서
네 샴푸 향이 느껴졌던 걸까요?

꽃들이 흔들리는 게 아닌
내 마음이 잠시
흔들렸던 건 아닐까요?

내 마음이 흔들려서
꽃들도 흔들려 보였나 봐요.

대형 입술 사고

눈이 오는 날
입술이 부딪힌
희미한 접촉 사고.

오늘은 눈이
더 많이 올 것만 같아요.

왠지 접촉 사고가 아닌
오늘은 대형 사고가
일어날 것만 같거든요.

호불호

앞으로 읽어도
뒤로 읽어도 똑같은
호불호 있는 사람이 좋았어요.

좋을 땐, 좋다고 말해주는
싫을 땐, 싫다고 말해주는
그런 호불호 있는 사람이 좋았어요.

한 번쯤은

미친 듯 보고 싶었던 게 아니라,
미친 듯 잊을 수 없었어요.

한 번쯤은,
사랑에 미쳐보는 것도 괜찮아요.

미쳐보고 나면 알겠죠.
이 사람에게 미쳐도 될 만큼,
충분한 가치가 있었던 사람이었는지.

특별한 사람

사랑은 다 비슷하다고 그래요.
내 사랑만큼은 다르길 꿈꿨어요.

누구나 다 비슷한 사랑이 아닌
나만의 특별한 사랑.
나만의 특별한 사람.

그 순간

시간이 지나면 그 순간 추억은
그리워할 수는 있어요.

그런데 시간이 지나
그 순간 추억을 만들 수는 없어요.

그러니 그 순간만큼은
좋은 추억을 만들기 위해
최선을 다해주세요.

헷갈리지 말기

사랑을 하기 전에는
호감이 있어야만 해요.

사랑과 호감을 헷갈린다면
금방 사랑에 빠지는 사람이 될 거예요.

금방 사랑에 빠지는 게 나쁜 게 아니에요.
금방 식어 다른 사람에게
상처 주는 게 나쁜 거예요.

상처 주기 싫다면
짝사랑하기 전에
호감을 먼저 가져주세요.

행복이란

굳이 예쁜 감성 카페가 아니어도
그냥 따뜻한 레쓰비 하나
너랑 공원에서 같이 마신다면
너무나 행복할 것 같아.

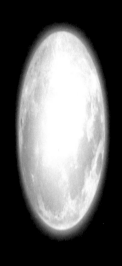

언젠가는

늑대는 늑대가 알아보고,
여우는 여우가 알아보고,
진심은 진심이 알아봅니다.

진심을 가지고 움직여 보세요.
언젠가는 알아줄 겁니다.

당신의 진심을.

호기심

사랑의 진짜는
나를 계속해서 궁금해하는 사람이에요.

나에게 더 이상
궁금해하지 않는 사람.
그 사랑의 미래는 예상할 수 없어요.

진심은 진심이 알아본다

사랑을 말로 표현하는 것도
중요하겠지만,

말이 아닌 마음의 진정성
그 진심도 중요해요.

추운 겨울날 아무 말 없이
핫팩 하나 주머니에 넣어준다면
그 진심 굳이 말하지 않아도 알아줄 거예요.

진심은 진심이 알아보니까요.

줄다리기

좋으면 밀지 말고 당겨주세요.
대신 천천히 지긋이.

천천히 당겨주는 게 중요해요.
지치지 않게.

꺼내 먹고 싶다

감정 냉장고라는 게
있었으면 좋겠어요.

사랑이라는 감정을 넣어두고
사랑이 받고 싶을 때.
조금씩 꺼내 먹고 싶거든요.

빚에 점하나 붙였다

빚을 진 것만 같아
미안한 감정뿐이었습니다.
빚을 지어 그저 빛을 보고 싶었습니다.

미안한 당신.

이제는 반짝거리는 빛만
보여주고 싶습니다.

천천히 다가와 주길

상처가 많을수록
의심이 많을수록
사람을 믿지 못할 때가 있어요.

조금만 천천히 다가와 주었으면 좋겠어요.
여기는 급하게 달리면 안 되는
어린이 보호구역이거든요.

사랑의 표현

아플 땐 아프다고 말해도 괜찮고,
슬플 땐 슬프다고 말해도 괜찮아요.

하지만 사랑할 땐,
사랑한다고만 말해주는 게 아니라,
사랑할 땐 행동으로 같이 표현해 주세요.

이대로 멈추고 싶다

사진을 찍는 이유는
그 순간을 멈추고 싶었기 때문이에요.

흐르는 강물도 사진을 찍으면
그 강물이 멈추는 것처럼,

오늘 하루도 당신과 함께 사진을 찍어
이대로 좋은 추억만 가진 채 멈추고 싶어요.

예쁜 너

사랑하면 예쁜 것만 보여주고 싶어요.
그래서 그런지 사랑하면
예쁜 것만 보아서 예뻐지나 봐요.

그림자마저도 예쁜 당신과
오늘 하루 예쁜 것만 보며
예쁜 하루를 보내고 싶어요.

믿고 싶다

사진가는 사진으로 추억을 간직할 수 있고,
가수는 음악으로 추억을 간직할 수 있고,
작가는 글로 추억을 간직할 수 있어요.

그리고 사진, 음악, 글을 추억으로
다 간직할 수 있는 건
사랑이라 믿고 싶어요.

어항 속도 괜찮아

어항 속에 좀 갇히면 어때요.
갇혀있다는 이유만으로
당신은 나를 한 번이라도 더 봐줄 날이 오잖아요.

어항 속에 갇혀있다고 너무 속상해하지 말아요.
오히려 안 보면 불안하게
나에게 눈을 떼지 못하게 만들 수 있는
좋은 기회일 수도 있어요.

사랑은 타이밍

사랑에는 타이밍이 있어요.

그 타이밍은 누가 찾아줄까요?
사람의 노력으로 찾아질까요?
세상이 찾아주는 걸까요?

타이밍이라는 건
진심과 노력이 만나면
세상이 허락해 줄 거예요.

어디든 괜찮아

여행을 떠난다면
어디로 가는 게 좋을까요?

사실 목적지는 상관없어요.
우리의 도착지만 같다면
어디든 상관없거든요.

사랑해, 그리고 미안해

미안해 그리고 사랑한다는 말보다는
사랑해 가 먼저 앞에 나왔으면 좋겠어요.
미안함이 먼저 있는 사랑은 하고 싶지 않아요.

사랑함이 먼저 있었기에,
미안함도 받아들일 수 있었던 거예요.

특권

용기 있는 자가 미인도 얻지만,
용기 있는 자가 좋은 사람도 얻어요.

용기는 좋은 사람을 얻을 수 있는
특권 같은 것이에요.

소중함

사랑의 무게는
소중함이 얼마나
들어있는지에 달려있어요.

사랑이 무거웠다면
소중함이 그만큼
들어가 있을 거예요.

그래서 사랑은 무거운 만큼
같이 있어야 해요.

혼자 들기엔
너무 무거웠거든요.

이상형

얼굴보다는 성격이라고,
외면보다는 내면이라고,

내면도 내 외면이라 생각하기에
나는 얼굴을 보는 사람이라고
떳떳하게 말했으면 좋겠다.

연애

연애할 때 여보 자기야 보다
이름 부르는 연애가 참 좋더라.

소중한 감정

좋아하면 숨기지 말고 표현해 보세요.
다시는 이 기회가 안 올 수도 있잖아요.

누군가를 좋아하는 그 감정.

진짜 그 무엇과도 비교할 수 없을
소중한 감정이니까요.

당신을요

부끄러워 일부러 다른 곳을
바라본 적이 있어요.

하지만 눈은 보고 있지 않아도
심장은 보고 있어요.

당신을요.

기다려 주세요

다음엔 내 마음을
표현해야지 하면서도

표현하지 못하고
또 다음이 찾아올 때가 있어요.

심장이 너무 두근거려서인가 봐요.
심장도 언젠간 익숙해질 거예요.

조금만 기다려 주세요.
조금만 천천히.

part 2

끝눈이 이별처럼 다가왔다

첫눈, 끝눈

누군가에게는 사랑이
첫눈처럼 다가왔을 것이고,

또 누군가에게는 사랑이
끝눈처럼 다가왔을 것이다.

첫눈도 끝눈도
나에게 다가왔다는 거에
의미를 두고 살아갔으면 좋겠다.

미련

미련이라는 감정은
사실 나에게 도움이 되는 감정이 아니다.

미인의 미는
아름다울 미일지 몰라도

미련의 미는
아닐 미라는 거를
우리는 알았으면 좋겠다.

내 마음은 주황 불

초록 불일 때는 당신에게
다가가라고 배웠습니다.
그리고 빨간 불일 때는
잠시 멈추라고 배웠습니다.
그리고, 다가가지도 멈추지도 못하는 관계.
우리는 그걸 주황 불이라고 합니다.

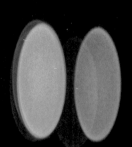

사람 너무 믿지 말아요

사람 너무 믿지 말아요.
왼쪽 깜빡이를 켜놓고는
오른쪽으로 가는 게 사람이니까.

사람 너무 믿지 말아요.
처음에는 잘해줘도
한순간 변하는 게 사람이니까.

설렘이 싫었던 이유

흔한 이별 중 한 가지는
변함 때문이었어요.

사실 변한 게 아니라,
원래의 나로 돌아간 거예요.

설렘이라는 감정 때문에
나 자신을 속이고 있었던 거예요.

이별 4단계

이별 4단계는
호기심으로 시작해,
호기심이 조바심으로 변했고,
조바심이 의심으로 커졌으며,
의심이 결심으로 끝이 나버렸다.

체념

정말 수많은 감정이 있겠지만,
가장 두렵고 무서운 감정은
체념이라는 감정이에요.

체념이라는 감정은
그 어떤 감정보다 단단한 것 같아요.

직감된 발소리

통보된 이별보다
더 힘들었던 건
직감된 이별이었어요.

발소리만 들어도 알겠어요.
내 곁을 떠날 거라는 거.

재회하는 이유

힘든 거를 알면서도 재회하는 이유는
이별이 정을 이기지 못해서예요.

이별이 정을 이겼다면
재회가 있었을까요?

이기적인 마음

그냥 못되게 굴고 싶을 때가 있어요.
괜히 정주면 상처받을까 봐.

내가 상처받지 않는다면
남이 상처를 받을 수도 있다는 것.

관계에 있어 상처라는 단어는
어쩔 수 없나 봅니다.

반딧불

반딧불이의 불처럼
따듯한 사랑이 하고 싶었어요.

반딧불이의 불같은 사랑이 하고 싶다면
따듯한 사랑이 아닌
차가운 사랑을 할지도 몰라요.

반딧불이의 불은 실은 냉광이거든요.

금방 사랑에 빠졌다

쉽게 번 돈도 의심한 듯.
쉽게 했던 사랑도 의심하세요.

뭐든지 쉬운 거에는
항상 이유가 있는 거예요.

사랑이 쉬웠다면
이별도 그만큼 쉬울 거예요.

질투

나에게만 웃어주면 안 될까요?

나에게만 웃어주는 줄 알았는데
그게 아니었어요.

모든 사람에게 웃어줘서
그냥 질투가 날 때가 있었어요.

나에게만 웃어줬으면 좋겠는데.

사실 나에게만 웃어주는 사람은
어디에도 없어요.

0번의 헤어짐

백번 카톡보다는 열 번의 전화가 좋았습니다.

그리고 열 번의 전화보다는
한 번의 만남이 좋았고,
한번 만남보다는 0번의 헤어짐이 좋았습니다.

결국 0번의 헤어짐이 있어야
이별 없는 연애를 할 수가 있었습니다.

갑 그리고 을

사랑에는 갑과 을이 어쩔 수 없이 존재해요.
50 대 50으로 딱 맞는 사랑은 없거든요.

그래서 사랑은
덜 아픈 사람이 있고,
더 아픈 사람이 있어요.

변했다

이별이 찾아오는 헤어짐의 원인은
변함으로 시작된 경우가 많습니다.

변함의 첫 번째 시작은 걸음 속도입니다.
같이 있을 때 걸음 속도를 느껴봐 주세요.

처음에는 걸음 속도를 맞춰 주더니,
이제는 느껴지네요.

당신이 변했다는 걸.

흔한 거짓말

이별할 때 가장 흔한 거짓말은
넌 정말 좋은 사람이었다.

애초에 좋은 사람이었다면
놓치고 싶지 않은 게
사람 마음이지 않을까 싶어요.

별도 내 마음을

밤하늘의 별을 다 세어볼 때까지
내 곁에 있어 줬으면 좋겠어요.

밤하늘의 별도 내 마음을 알았는지
세고 세어도 끝이 없네요.

이별이 찾아올 때

상대방의 감정을
같이 느껴주는 게 연애였고

내 일상을 함께 같이
공유하는 게 연애였다.

그런데 이별은 상대방의 감정을

같이 느껴주지 못할 때.
그리고 일상도 함께 공유할 수 없을 때.

그때 조용히 찾아왔다.

눈물

사랑해서 미안했던 걸까요.
미안해서 사랑했던 걸까요.

사랑이라는 감정도
미안함이라는 감정도
눈물을 흘렸던 건 똑같네요.

첫 눈물

첫사랑은 처음으로 내가 진짜
사랑했던 사람이라고 믿고 싶어요.

첫사랑이 아팠다면
그것 또한 첫 눈물이 될 수도 있겠어요.

첫 눈물은 처음으로 내가 진짜
사랑했던 사람과 만났을 때.

흘렸던 눈물.

그게 첫 눈물이라고 믿고 싶어요.

이별 조언

이별에 가장 위로 안 되는 말은
세상에 남자 여자는 많다는 말이에요.

그만한 사람이 지금까지 없다는걸,

당신은 모를 거예요.

그렇지만 이제 떠난 사람은
오래 기억할 필요가 없어요.

잠깐의 좋았던 추억.

좋았던 기억은
오늘 눈물로 다 흘려보내 주세요.

좋은 이별

좋은 만남이 있었다면
좋은 이별도 있었다고 믿고 싶어요.

사람들은 그래요.

좋은 이별이 어디 있냐고
좋지 않아 이별한 거였다고

남 시선은 신경 쓰지 말아요.

그냥 내가 좋았다고
좋은 이별이라 하면
그건 좋은 이별인 거예요.

연고 같은 사람

백날 사랑한다고 말해주면 뭐 해요.
상처 하나만으로 다 잊히는데

백날 사랑한다는 말보다는
연고 같은 사람이 되어주세요.

아픈 마음 아픈 상처에 발라줄 수 있는
연고 같은 사람이 되어 주세요.

덜 아팠으면 좋겠다

안전바가 메어져 있는
사랑을 꼭 하세요.

그래야 덜 아픕니다.

세 살 버릇

어릴 때부터 배웠어요.
예쁜 꽃은 꺾어야 가질 수 있다는걸.

예쁨을 얻으려면 아픔을 주어야 한다는 것도
우리는 어릴 때부터 배우고 자랐어요.

그런데 한번 생각해 보세요.

꽃의 예쁨이 더 오래갈지.
꽃의 아픔이 더 오래갈지.

역지사지

당신이 나를 기다릴 땐 몰랐어요.
이렇게 아픈 것인지.

내가 당신을 기다려보니 알겠어요.
이렇게 아픈 것인지.

예전만큼은

사랑은 프라이팬에 올려진 달걀과 같아요.
처음에는 반숙이라고 터질까,
아껴주더니.

다 익어버리니.

예전만큼은 아니었어요.

따로 있나 봐

대화가 잘 통하고
잘 맞는 사람을 만나고 싶어

좋은 사람, 착한 사람을
찾았을 때가 있었습니다.

그런데 아니었습니다.

좋은 사람, 착한 사람은
따로 있고, 잘 맞는 사람은
또 따로 있었습니다.

사람 마음

사람 마음.

참 갈대 같다는걸.
요즘 많이 느낍니다.

계절도 쉽게 변하는 것처럼.

사람 마음도
쉽게 변해버립니다.

민들레꽃

어릴 때 호호 불고 놀았던
민들레꽃도

나에겐 추억이었지만,
민들레꽃은 아픔이었어요.

지나고 보니 이제 알았어요.

나에겐 추억이 누구에겐
말하지 못할 아픔이 될 수 있겠다고.

이별은 원래 아프다

사실 덜 아픈 이별을 하려면
사랑을 시작하기 전에
이별을 미리 준비해야 덜 아파요.

그런데 사랑이 시작하기도 전에
이별을 미리 준비해야 한다면
그건 사랑을 시작할 수도 없을 거예요.

그러기에 이별이 아픈 거는
어느 정도는 받아들여요.

우리.

이별도 하나의 고백

고백과 이별의 같은 점은
내 감정을 솔직히 말해주는 거예요.

내 감정이 솔직해져서
고백도 할 수 있었고
이별도 할 수 있었어요.

예고편

예고편만 보고 기대하다
실망한 적이 있어요.

역시 끝까지
다 봐야 아나 봐요.

사람도.

속도가 중요했다

과정은 좋았는데
이루어지지 않았다면
그건 속도가 달랐을 거예요.

출발 시간이 같아도
속도가 다르면
도착시간은 다르니까요.

벚꽃 엔딩

아무리 재밌는 영화도
아무리 재밌는 드라마도

결국 끝이 별로면 사랑받지 못하고
좋은 기억으로도 남지 못할 거예요.

우리의 사랑도 그래요.
아무리 재밌고 아무리 행복했어도

끝이 별로였다면
좋은 기억으로 남지는 못할 거예요.

무엇이 빠를까

해가 지는 게 빠를지.
헤어지는 게 빠를지.

어떤 해든
한번 떠 있다는 거에
의미를 두세요.

그 사람

유독 비 냄새를
좋아했던 사람이 있었어요.

그래서 비 오는 날이면
가끔 그 사람이 생각나고는 해요.

향수를 뿌리는 이유는 냄새로
나를 기억해달라는 말이 맞나 봐요.

비 냄새에 가끔 그때 기억이
떠오를 때가 있어요.

변함 초기 증상

사랑이 그리고 사람이 변했다는 거.
첫 시작은 그때부터가 아닐까요?

당신과의 약속이 너무나 설레고
기다려졌었는데.

어느 순간 당신과의 약속이
기다려지지는 않을 때.

아마 그때부터였을 거예요.

진짜 중요했던 건

같이 있을 때는 항상 웃기만 해서
사랑이라고 생각했고

같이 있을 때 항상 울기만 해서
권태기라고 생각했던 적도 있었습니다.

그런데 진짜 중요했던 건
항상 웃기만도 항상 울기만도 아닌

같이 있을 때.
함께 있을 때.

그때부터였습니다.

우선순위

우리는 우선순위에 대해
서운함을 느끼고는 합니다.

우선순위에 밀렸음을 느꼈을 때
그것만큼 서운한 것도 없습니다.

정말 사랑하는 사람이 있다면
우선순위가 어떤 것인지.

알 수 있게 표현해 줬으면 좋겠습니다.

아픈 감정이겠다

설레는 사랑은 나를 잃을 때가 있었고
편안한 사랑은 당신을 잊을 때가 있었다.

설레는 사랑이 곧 편안한 사랑이 된다면
나를 잃고 나서 당신을 잊을 수도 있겠다.

이렇게 생각하면
사랑은 정말 아픈 감정이다.

요요

놓아주어야 할 때는
그냥 놓아주어야 합니다.

계속 잡고만 있으면
그 자리에 멈춰있습니다.

말은 참 쉽습니다.

놓아주면 다시 올라오지
못할 거라는 생각에

오늘도 놓지 못합니다.

사랑, 부호

물음표에서는
느낌표로 끝났으면 좋겠다.

물음표에서
물음표로 끝난다면

그건 이별의 한 가지.

원인일 수도 있겠다.

우산에도 감정이 있나 봐

비가 오는 날 당신이 우산이
없을 때를 기다렸을 때가 있었습니다.

우산이 있었음에도
당신을 기다릴 때.
비를 맞을 때도 있었습니다.

우산에도 감정이 있나 봅니다.

우산에 눈물이 맺혀
한없이 뚝뚝 떨어집니다.

같이 있고 싶었다

그럴 때가 있어요.
같이 있을 땐
못 느끼는 감정인데

막상 헤어지려고 하니
아쉬울 때가 있어요.

그래서 같이 있을 때.

더 잘해줘야지 하면서도
헤어질 때.

그 감정을 또다시 느껴요.

사랑에 설렘을 빼면 정일까

그런 말이 있어요.

오래 만나면 정으로 만난다고
세월 지나고 돌이켜보니

정도 사랑이었어요.

사랑도 설렘도 정도
찾아왔다는 거에

의미를 두고 싶어요.

참 신기하게도

사랑이라는 거.

참 신기한 게 더 좋아하는 쪽이
상처받을 수 있다는 거.

우리는 누구보다
더 잘 알고 있는데.

참 신기하게도
그걸 알면서도
더 좋아할 때가 있어요.

속고 싶지 않았다

설렘이 익숙함으로 바뀌는 순간
우리는 설렘만 잃는 게 아닙니다.

설렘이라는 두 글자.
이제는 속고 싶지 않습니다.

다른 감정

사랑과 여행의 감정은
너무나 달랐습니다.

여행은 멀어질수록 설렘이 찾아왔고
사랑은 멀어질수록 설렘이 사라졌습니다.

여행은 낯설어질수록 기대감으로 다가왔다면
사랑은 낯설어질수록 실망감으로 다가왔습니다.

여행은 변한 세상을 볼 때가 좋았고
사랑은 변한 사람을 볼 때가 슬펐습니다.

흔들림

바람이 부는 건지.
그냥 흔들리는 건지.
알 수 없을 때가 있어요.

그럴 때는 세상을 넓게 바라보세요.

나뭇가지가 흔들리는지.
하늘 위에 구름이 흔들리는지.

어떤 것이든 무언가는 흔들렸을 거예요.

세상에 그냥 아무 이유 없이
흔들림이 찾아오는 건 없어요.

part 3

첫눈 같은 첫 삶

다른 삶

글씨체는 사람마다 다 달라요.
그래서 같은 삶을 쓰더라도
우리는 다른 인생을 살아가나 봅니다.

부러운 성격

세상에서 가장 부러운 성격은
예의는 다 지키면서 자기 생각은
다 말할 수 있는 그런 성격이 제일 부럽다.

살아왔던 흔적

인생은 두루마리 휴지처럼
술술 풀렸으면 좋겠어요.

끝까지 살아보면 알겠죠.
휴지 심이 어떻게 남아있는지.

진짜를 알아보는 시간

내가 잘될 때 내 곁에 있는 사람은
사실 진짜일 수도 가짜일 수도 있어요.

그런데 잘 안될 때,
내 곁에 있는 사람은 진짜예요.

그러니 잘 안된다고 자책하지 말고
진짜 내 사람을 알아볼 수 있는
기회는 지금뿐이라고 생각해 주세요.

솜사탕보다 좋았던 것

엄마 아빠 손잡고 동물원에 놀러 가
솜사탕을 사러 갈 때 너무나 행복했어요.

그런데 지금 생각해 보니
솜사탕보다 더 행복했었던 건
엄마 아빠 손을 잡고 있을 때.

바로 그때였어요.

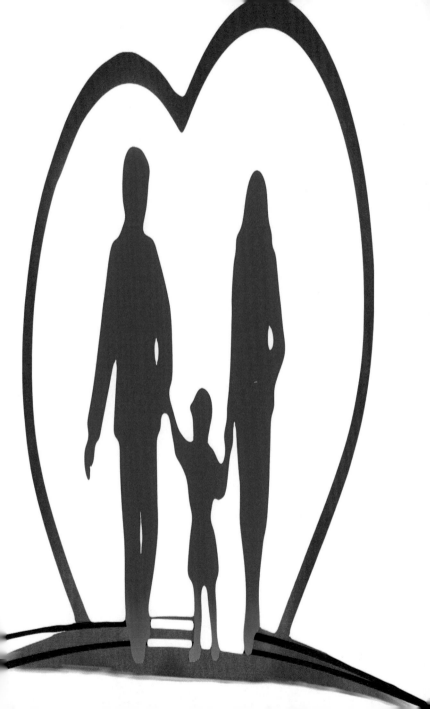

어린 사람

마음이 여릴수록
상처를 잘 받는다지만,

오히려 마음이 여릴수록
상처도 잘 주는 법이에요.

사랑도 받아본 사람이 준다고
상처도 받아본 사람이 주네요.

나에게 말해주세요

힘들면 잠시 쉬어가라는 말은
소곤소곤 작게 말해주세요.

심장이 듣지 않게.

나를 위해 쉬지 못하는
소중한 것들이 존재하고 있으니,

오늘 하루 꼭 말해주세요.

나를 위해 쉬지 못하고
뛰어주어서

고맙다고.

현실에 충실하기

일어나지 않는 일에
괜한 걱정을 할 때가 있어요.

맞아요.

금방 말한 것처럼,
괜한 걱정이에요.

일어나지 않는 일에 걱정할 시간에
일어나있는 현실에 집중해 주세요.

멈추는 방법

지칠 때 가장 뻔한 위로의 말은
"잠깐 쉬어가도 괜찮아"

잠깐 쉬는 것도 중요했지만,
멈추는 방법도 중요했어요.

멈추는 방법도 알려주세요.
급브레이크는 위험했으니까.

도움이 되어주는 삶

삶은 비누와도 같아요.
쓰면 쓸수록 닳아 없어지거든요.

닳아 없어지면 어때요.
누군가에게 그래도 도움이 되었잖아요.

쓰지 않고 목말라 굳을 바에
도움이 되는 삶을 살다 가고 싶어요.

알았으면 좋겠다

사랑을 나 자신까지 버려가면서
하지는 않았으면 좋겠어요.

남을 사랑하기 전에
뭐가 먼저인지 알았으면 좋겠어요.

열심히 살아봐요

지금 당장 반복된 삶이
조금은 지겨울지라도

언젠가는 이 반복된 삶도
그리울 때가 올 거예요.

지금의 현재는
미래가 부러워할 과거이니
오늘 하루도 열심히 살아 보아요.

따듯하게 대해주세요

사람은 가까울수록
더 짜증만 냈고

사랑도 가까울수록
더 짜증만 냈어요.

짜증 내는 사람이 있다면
그 사람은 나에겐
정말 소중한 사람이에요.

그러니 짜증보다는
따듯하게 대해주세요.

행동한 경험

항상 성공하는 삶만 꿈꾸었어요.
성공의 반대말은 실패가 아니라
행동하지 않는 것이라고 들었어요.

그럼, 실패의 반대말은 성공이 아니라
행동한 경험의 일부분이었나 봐요.

성공하는 삶.
행동한 경험의 삶이라고 믿고 싶어요.

현실에 집중하기

어제로 돌아갈 수도 없었고
내일로 미리 갈 수도 없었어요.

우리는 현실을
항상 마주하고 있거든요.

돌아갈 수도 없고
미리 갈 수도 없다면

마주하고 있는
현실에 집중해 주세요.

일방통행

한 번쯤은 그런 생각을 했어요.
내 눈앞에 누군가 나타나
좋은 인연이 생기기를 꿈꿨어요.

꿈꾸는 좋은 인연이 나타나지 않는다면
그냥 길을 잘못 들어왔나 생각해 주세요.
당신이 잘못된 게 아니에요.

종이비행기

어릴 때는 멀리만 던지면
다 되는 세상이었다면

지금은 멀리만 던지면 되는 게 아닌
목적지를 어디로 두고,
던지느냐가 중요했어요.

도착지에 따라 세상은 달라졌고
도착지에 따라 내 인생은
너무나 달랐거든요.

좁은 게 나쁜 건 아니에요

상처를 덜 받는 방법은 간단했어요.

넓은 마음보다는 조금은
좁은 마음으로 살아가면 되었어요.

넓은 마음속에 촛불 하나만으로는
너무나 쌀쌀했지만,

좁은 마음속에는
촛불 하나만으로도
너무나 따듯했거든요.

위험한 말

두 마리 토끼를
다 잡을 수 없다면
차라리 다 잃겠다는 거.

정말 큰 욕심이자
큰 후회일지도 모르겠습니다.

"욕심 있는 사람이 성공한다"는 말

어쩌면 위험한 말일 수도 있겠습니다.

부러움이라는 것은

꿈에서 나를 본 적이 있어요.
다른 사람으로 태어나 나를 보게 됐는데
그 나 자신도 부러워 보였어요.

그냥 부러움이라는 것은
지금 내가 보고 있는 대로
느껴지는 것 같아요.

진짜 어른

어릴 때는 남들의 아픔을 잘 생각하지도
잘 공감하지도 못했는데

이제는 어른이 되니
남들의 아픔도 공감할 줄 알고
같이 아파할 줄도 알았어요.

가끔은 진짜 어른은 어떤 사람일까?
생각할 때가 있다면

내가 남의 아픔에 어디까지
공감해 줄 수 있는지 생각해 보세요.

곧 찾아질 거야

나에게 맞는 일이 어떤 것인지.
무슨 일을 해야 할지
모르겠다면

혼자 여행도 다녀보세요.

혼자 여행하면서도
새로운 세상 속에서
당신의 새로움을 발견할 수도 있고

어렸을 때 사진을 보는 것도 좋아요.

내가 무엇을 좋아했었는지.
어떤 삶을 살아왔었는지.

한 번쯤은

삶이 힘들다 하면
나보다 더 힘든 삶을 바라보세요.

조금은 이기적일 수는 있겠지만,
나보다 더 힘든 삶을 바라보면

나는 어쩌면 괜찮은
삶을 살아가고 있다고
위로가 될 수 있을 거예요.

한 번쯤은,
나를 위해 좀 이기적으로 살아봐요.

말해주고 싶었다

이런 고민을 할 때가 있어요.

내가 좋아하는 일을 해야 할까?
내가 잘하는 일을 해야 할까?
돈을 많이 벌어야 하는 일을 해야 할까?

사실은 저것보다 더 중요했던 건
나 자신을 사랑할 수 있고
제일 빛나고, 가슴이 뛰는
그런 일을 했으면 좋겠다고 말해주고 싶어요.

두려워하지 말아요

우리는 새로움을 두려워할 때가 있어요.
그래서 익숙함만을 찾고는 해요.

사실 새로움이라는 거는
익숙함의 전 단계였는데.

내 삶 속에 익숙함이 얼마나 있는지 보세요.

익숙함이 많았다면,
새로움도 다 있었을 거예요.

새로움에 두려워 익숙함을
더 못 만드는 일은
당신의 삶 속에 없었으면 좋겠습니다.

조금은 다르다

성공해서 행복한 삶보다는
행복해 성공한 삶이 더 좋았어요.

행복과 성공이 같아 보이지만,
조금은 다르거든요.

시선

시선은 따가운 시선에 위축된 게 아니라
어쩌면 시선은 위축된 나여서
시선이 따갑게 보였던 건 아닐까.

중간만큼만

세상에서 가장 어려운 말은
딱 중간만큼만 하라는 거예요.

많이도 적게도 아닌
딱 중간만큼만,

그거참 어려운 말이에요.

내 편으로 만들기

세상을 살면서
가장 현명한 방법은
적을 두지 않는 거예요.

인간관계에 있어, 어떻게
적이 없냐고 생각할 수도 있어요.

적이 있어도 괜찮아요.

적을 내 편으로 만들 줄만 안다면
적은 시간이 지나면 내 관계에는 없거든요.

끝맺음은 나에게

아무리 깨끗하게 세탁한
빨래들도 결국 잘 말리지 않으면
의미가 없다는 걸 알았어요.

결국 어떤 것이든
어떤 도움이든

끝맺음은 항상
나 자신에게 있어요.

예쁠 때

누구에게나 가장 예쁠 때는 있어요.
그게 언제인지.

어제도 오늘도 내일도 아닌
당신은 항상 예뻐요.

숨겨진 맛집

좋은 사람은 곁에 사람들이 많겠지만,
꼭 그렇지 않을 때도 있어요.

맛집도 숨겨진 맛집이라는 게 있잖아요.

잠깐 숨겨진 거예요.
좋은 사람이라고 알려지지 않은 거예요.
언젠간 모두가 알아줄 거예요.

당신은 좋은 사람이라면.

열정

꿈이 있는 사람보다
더 부러웠던 건

꿈이 없는데
꿈을 찾으려고 발버둥 치는
그 열정이 부러워요.

그러니 꿈이 없다고
너무 자책하지는 말아요.

찾으려고 하는 열정만으로도
당신을 부러워하는 사람이 있거든요.

더 채워주세요

가장 위로가 되지 않는 말은
"괜찮으니까, 힘내"

괜찮지 않았고, 힘도 나지 않았어요.
정말 위로가 되어주고 싶다면

괜찮으니까, 힘내라는 말
앞부분을 좀 더 위로의 말로
채워주었으면 좋겠어요.

결국

시간이 해결해 줄 수는 있겠지만,

시간이 얼마나 걸리는지는
얼마나 단축할 수 있는지는
나 자신에게 있다는걸.

꼭 알았으면 좋겠습니다.

크리스마스

산타 할아버지를 꿈속에서라도
만날 수 있어 너무 행복했어요.

이 꿈이 끝나면
이 크리스마스도 지나가겠죠.

내년에는 더 멋진 모습으로
할아버지를 기다리고 있을게요.

길고양이

다가가려 하면 도망갔는데
먹이를 가지고 있으니
나에게 다가와 줬어요.

사랑도 관심도
돈이 필요 없지는
않나 봐요.

첫 단추

당신은 어떨 때 가장
나 같다고 느껴지시나요?

이 문장에 바로 답이 나온다면
나에 대해 잘 알고 있는
사람이에요.

나에 대해 잘 알고 있는 것.
바로 자존감에 첫 단추입니다.

피부 트러블

꼭 잘 보이고 싶은
중요한 날에는
피부 트러블이 올라옵니다.

피부도 부끄럽나 봐요.

오늘이 꼭 잘 보이고 싶은
중요한 날이라
부끄러운지 빨갛게 올라오네요.

표현해 줘야 알아요

내 마음은 그게 아니었는데.

너무 안타깝지만,
제일 답답한 말이에요.

표현 안 하면 내 마음.
절대 알 수 없는 거.
이제는 알 때도 된 것 같아요.

그냥 알아주기만 바라는 거.
너무나 큰 욕심이에요.

잊지 말아요

술의 힘을 잠시 빌리는 건 괜찮아요.
그런데 중요한 건
잠시라는 말에 잊지 말아요.

지금의 현재보다 더 많은걸,
잃을 수도 있으니까요.

자존감이란

진짜 자존감 높은 사람은
남들이 나를 좋아하든 싫어하든
크게 관심 두지 않아요.

나에게 집중하고 있거든요.

다른 사람 신경 쓸
여유가 어디 있겠어요.

나를 사랑하고 집중하는데
너무나 바쁜걸요.

잘못된 사랑

나의 삶보다 남의 삶을
더 궁금해하지 않았으면 좋겠어요.

나의 하루보다 남의 하루가
더 궁금하다면
그건 잘못된 사랑일 거예요.

나를 잃지 말아요

아 다르고 어 다르다는데
나 다르고 너 다르지는 않았어요.

나 다르고 너도 다른 것이니
억지로 맞추려 하지 않았으면 좋겠어요.

참 신기하게도

참 신기한 게 내가 좋아하는 사람은
나를 관심 없어 할 때가 있었고

내가 관심 없어 하는 사람은
나를 관심 있어 하는 경우가 있었다.

그래서 좋아하는 사람이 생길 때.
관심 없어 하는 척을 할 때가 있었다.

그냥 잘해주기

좋아하는 사람의 마음을 얻으려고
한없이 잘해주기만 했는데
결국 마음을 얻기는 어려웠습니다.

마음을 얻기 어려웠던 이유는
한없이 잘해줬기 때문입니다.

한없이 잘해주지 말고 그냥 잘해주세요.

나 먼저 챙기면서.
그냥.

나를 위해서

한 귀로 듣고
한 귀로 흘릴 수만 있다면

한 귀로는 사랑을 듣고
한 귀로는 이별을 흘리겠습니다.

너에게 마지막으로 하고 싶은 말

평범한 나무였지만
예쁜 장식을 하니
예쁜 트리가 되는 것처럼.

평범한 너였지만
예쁜 나를 만나
예쁜 네가 됐으면 좋겠다.